bibliotheek

Centrale Bibliotheek
Oosterdokskade 1 ?
1011 DL Amsterdam
0900-bibliotheek (09
www.oba.nl

D1634004

Er zijn zeven boeken over
De Toverlamp:

Actuele informatie over Kluitmanboeken
kun je vinden op www.kluitman.nl

Het Spookschip

bibliotheek am ster dam

Centrale Bibliotheek
Oosterdokskade 143
1011 DL Amsterdam
0900-bibliotheek (0900-2425468)
www.oba.nl

Tekst en tekeningen

Harmen van Straaten

LEES N!VEAU

		ME	ME	ME	ME	ME	
AVI	S	3	4	5	6	7	P
CLIB	S	3	4	5	6	7	8	P

Avontuur I Magie

Toegekend door Cito i.s.m. KPC Groep

Oude systeem: AVI 4
Zie verder: www.kluitman.nl/educatie

Nur 287/L010902
© Uitgeverij Kluitman Alkmaar B.V.
© MMVIII tekst en tekeningen: Harmen van Straaten
Omslagontwerp: Design Team Kluitman

Alle rechten voorbehouden, inclusief het recht van reproductie
in zijn geheel of in gedeelten, in welke vorm dan ook.

www.kluitman.nl

In het museum

Jim is met zijn klas in een museum.
Een meneer vertelt van alles.
Het is heel saai.
Jim krijgt een stijve nek.
De schilderijen hangen zo hoog.
In zijn zak vindt hij een propje papier.
Hij schiet het stiekem naar Mark.
Mark schiet het propje terug.
Dan schiet Jim weer.
Ai, hij raakt een bewaker!
Gelukkig ziet de man niet wie het deed.
Hij ziet er best eng uit.
Wat duurt het lang!
Alle schilderijen lijken op elkaar.
Hoe lang blijven ze hier nog?
Jim kijkt om zich heen.
Er hangt een bord boven een deur.
'Collectie scheepvaart' staat erop.
'Wat is collectie?' vraagt hij.
'Ssst,' zegt de meester.
'Luister nou maar.'

Maar Jim heeft geen zin meer.

Hij gaat liever naar de scheepvaart.

Wat een collectie is, kan hem niets schelen.

Maar een boot wil hij best wel.

Een zeilboot of zo.

Later wil hij zeeman worden.

De oceaan op, naar verre landen varen.

Avonturen beleven.

Jim loopt de andere zaal in.

In glazen kasten staan schepen.

Ze lijken net echt, maar dan heel klein.

Er zijn ook scheepjes in flessen.

En er hangen schilderijen van boten.

Achter in de zaal hangt het grootste doek.

Jim kijkt ernaar.

'Vliegende Hollander' staat op een bordje.

Het schip ziet er griezelig uit.

Dan kucht iemand.

Jim draait zich om.

Daar staat een bewaker.

Het is de man van het propje.

Jim schrikt.

Zou hij weten dat hij het was?

De man lacht.

Jim ziet een gouden tand.

Brrr, hij moet ervan rillen.

De man wijst naar het schilderij.

'Mooi, hè?'

Jim wil het liefst de zaal uit.

Maar de man pakt hem bij zijn arm.

9

De Vliegende Hollander

De man vertelt.
'De Vliegende Hollander was een schip.
Een groot zeilschip.
Het was op weg naar Kaap de Goede Hoop.'
Jim kijkt hem vragend aan.
'Dat ligt in Zuid-Afrika,' vertelt de man.
'Op een dag stormde het.
Alle schepen bleven in de haven.
De kapitein voer toch uit.
"Ik blijf altijd varen," riep hij.
Maar het schip verging in de storm.
Vanaf die dag was het een spookschip.
Dat kwam door die kapitein.
Die had gezworen altijd te blijven varen.
Wie voortaan het schip zag, had pech.
Want dan gebeurde er een ramp.
De lading bedierf.
Of piraten enterden je schip.
Zelfs... kon je eigen schip vergaan.'
De bewaker buldert van het lachen.
'Zou je daar niet op willen varen?' zegt hij.

Jim aarzelt.
'Ik weet het niet.
Ik hou niet zo van spookschepen.'

De man geeft hem een kaartje.

Er staat een toverlamp op.

'Hier, dit is je gelukskaartje.

Doe maar een wens.

Daarna kras je de lamp weg.

Als je ziet wat je wenste...'

'Nou?' vraagt Jim.

'Dan komt je wens uit.'

De man lacht weer hard.

Jim rilt.

Wat een griezel.

'Daar ben je dus!'

hoort Jim de meester roepen.

Jim is blij dat hij zijn stem hoort.

Dan kan hij hier tenminste weg.

'Tot later,'

roept de man met de gouden tand.

Tot nooit meer, denkt Jim.

Dan loopt hij terug naar de groep.

Voor straf moet hij nu bij de meester blijven.

Jim moet af en toe gapen.

De wens

Het is avond.
Jim zit op de rand van zijn bed.
Hij trekt zijn broek uit.
Er valt iets uit zijn zak.
Jim pakt het op.

Het is het kaartje van die griezel.
Wat zei hij ook al weer?
'Doe een wens en kras dan de lamp weg.
Als je ziet wat je wenste,
dan komt je wens uit.'
Jim loopt naar zijn tafel.
Daar ligt een euro.
Met zijn ogen dicht doet hij een wens.
Hij krast het lampje weg.
Wauw!
Hij ziet een schip.
Zou die man gelijk hebben?
Als je ziet wat je wenste...
Dan komt je wens uit.
Zou hij naar zee gaan?
Of een echt schip krijgen...

Dan schudt Jim zijn hoofd.

Het is vast nep.

Wie gelooft dat nou?

Een beetje krassen op een kaartje en...

Boeien, echt niet, hoor.

Jim gooit het kaartje weg.

Dan gaat hij in zijn bed liggen.

Hij bladert in een boek.

Het gaat over een reis rond de wereld.

Hé, dat schip op de plaatjes kent hij.

Dan ziet hij het.

'Vliegende Hollander' staat erbij.

Jim rilt.

Hij doet gauw het boek dicht.

Even later valt hij in slaap.

Schip ahoy!

Jim wordt wakker.
Dat komt doordat zijn bed heen en weer gaat.
Het lijkt wel alsof hij op een schip zit,
zo gaat zijn bed tekeer.
Hij wrijft in zijn ogen.
Dit kan niet waar zijn!
Hij ligt op het dek van een schip.
Ze zijn midden op zee.
Wat is hier aan de hand?

Opeens zweeft er een geest voor hem.
'Ken je me nog?' vraagt de geest.
'Ik kom uit de lamp.'
Jim ziet dat hij een gouden tand heeft.
Het is net de man uit het museum.

De geest wappert met het kaartje.
'Voor elk mens een wens,' lacht hij.
'Je wilde toch een schip?
En zeeman worden?
Nou, wat vind je ervan?
Je eigen Vliegende Hollander.
Jouw schip voor altijd en eeuwig.'
De geest draait zich om.
'Toedeledoki,' roept hij.
Opeens is hij verdwenen.

Voor altijd op een spookschip?
Jim rilt bij het idee.
Hij knijpt in zijn arm.
Zijn ogen doet hij dicht.
Dit is vast een droom.
Hij doet zijn ogen open.
Maar hij is nog steeds op het schip.

Op onderzoek

Jim loopt over het dek.
De wind fluit.
De zeilen staan bol.
Maar ze varen recht tegen de wind in.
En wie bestuurt het schip?
Is de bemanning onzichtbaar?
Daar is een hoger dek.
Misschien is daar iets te zien.
Het schip gaat heen en weer.
Dat komt door de hoge golven.
Jim tuurt over de zee.
Hij ziet nergens land.
Dit kan toch niet echt zijn?
Hij moet hier weg zien te komen.
Zijn benen trillen.
Dat komt niet alleen door de woeste zee.

Dan hoort Jim een luide stem zingen:

'Woeste zee, woeste zee,
neem alle boten mee.
Wie durft mij aan?
Ik laat schepen vergaan.
Het is te laat als je weet
hoe dit schip heet.
Hoezee, hoezee, hoezee.
De Vliegende Hollander,
schrik van de zee.'

Jim staat verstijfd van schrik.
Hij is echt op het spookschip!
Help, wil hij gillen.
Dan houdt iemand een hand voor zijn mond.
'Ssst,' klinkt de stem van een jongen.
'Je wilt toch niet dat hij je ziet?
Dan kom je nooit meer van boord.'
De jongen trekt Jim mee.
'Kom,' fluistert hij. 'Verstop je.'

Het verhaal

Jim en de jongen gaan een trapje af.
Ze komen in een ruimte onder het dek.
De jongen houdt zijn vinger voor zijn mond.
Dan trekt hij het luik dicht.
'Wie ben jij?' vraagt de jongen aan Jim.
Jim vertelt over de lamp en de geest.
'Ik heet Melle,' zegt de jongen.
'Ik ben ook een geest.'
Jim kijkt eens goed naar hem.
'Maar ik kan niet door je heen kijken...'
'Je moet niet alles geloven,' lacht Melle.
'Knijp me maar.'
Jim knijpt hem zachtjes.
'Je hebt gelijk.
Je bent helemaal echt.
Een echte geest.'
Ze lachen alle twee.
'Van je kop tot aan je voeten,' zegt Jim.

Melle kijkt opeens ernstig.
'We moeten snel zijn.'
'Hoezo?' vraagt Jim.
'Als de zon opkomt,
verdwijnt het schip...'
Melle haalt diep adem.
'Als je dan nog op het schip bent,
moet je altijd blijven.
Of wil je dat juist?'
Jim schudt zijn hoofd zo hard als hij kan.
Melle kijkt een beetje sip.
'Jammer.
Het zou best leuk zijn.
Met die ouwe is het niet altijd feest.'
'Hoe kom jij aan boord?' vraagt Jim.
Melle vertelt:
'Ik woonde aan zee.
Elke dag voeren boten voorbij.
Ik droomde ervan om mee te gaan.
Verre landen, het avontuur.
Ook kwam ik graag in de haven.
Tonnen die over de kade rolden.
De geur van teer en de zoute zee.

Op een nacht klom ik op een boot.

Ik verstopte me.

De volgende dag hoorde ik mannen gillen.

"We gaan niet mee.

Er zit storm in de lucht."

Ze gingen van boord.

"Dan ga ik alleen," brulde een man.

Het was de kapitein.

Hij ging als een woeste tekeer.

Met een bijl kapte hij de trossen door.

Ik zat in de sloep.

En ik kon niet meer van het schip af.

We kwamen op zee en de storm brak los.'

'En toen?' vraagt Jim.

'Toen sloeg het schip op een rots en verging.

Maar eens in de zoveel tijd...'

Jim maakt het verhaal af.

'Dan komt het schip uit zee.

En als een andere boot het schip ziet...'

'Zal die boot zinken,' vertelt Melle.

'En wij verdwijnen weer in de golven.'

Jim denkt na.

Dat zei de man in het museum ook.

Maar Jim wil niet mee in de golven.

Melle trekt aan zijn arm.

'Kom, ik laat de sloep zakken.

Dan kun je weg.'

'En jij dan?' vraagt Jim.

'Kan ik niks voor je doen?'

Melle denkt na.

'Misschien wel,' zegt hij.

Ontsnapt

Melle vertelt:
'Zolang we op zee zijn,
blijven we een spookschip.
Maar als we aan wal komen,
houden we op te spoken.
Voorgoed.'

'En wat gebeurt er dan met jou?'
vraagt Jim.
'Dan verdwijn ik,' zegt Melle.
'Voor altijd?'
Melle knikt weer.
'Ik denk van wel.
Ik hoop het.'
'Waarom?'
'Ik spook nu al zo lang.
Al honderden jaren.
Ik wil rust.'

'Dus ik moet het schip naar de wal lokken?'
vraagt Jim.
Melle knikt.
'Maar hoe krijg ik het schip dan aan wal?
Dat doet de kapitein nooit.'
'Dat is aan jou,' zegt Melle.

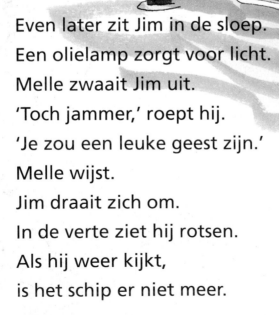

Even later zit Jim in de sloep.
Een olielamp zorgt voor licht.
Melle zwaait Jim uit.
'Toch jammer,' roept hij.
'Je zou een leuke geest zijn.'
Melle wijst.
Jim draait zich om.
In de verte ziet hij rotsen.
Als hij weer kijkt,
is het schip er niet meer.

De redding

Nu is Jim alleen op de pikzwarte zee.
Hij pakt de riemen.
Achter hem is de kust met hoge rotsen.
Hij roeit er snel naartoe.
Er steekt een wind op.
De wind wordt een storm.
Regen slaat neer.
De golven worden steeds woester.
Net op tijd komt Jim bij de rotsen.
De golven donderen er tegenaan.
Nog een wonder dat de lamp blijft branden.
Jim klimt tegen de rotsen op.
Het spookschip naar de wal lokken...
Dat lukt hem nooit!
Was hij maar thuis in zijn bed.
Hij is klets- en kletsnat.

In de verte ziet Jim een boot.
Die komt steeds dichterbij.
Het is niet het spookschip.
Zou die kapitein de rotsen niet zien?
Jim moet hem waarschuwen.
Straks loopt de boot vast.
De storm raast nog steeds.
Als hij nou met de lamp zwaait...
Net als een vuurtoren.

Opeens ziet Jim nog een schip.
Dat is de Vliegende Hollander!
Die duikt op uit de zee.
De kapitein brult.
Jim rent naar de punt van de rotsen.
Er is geen tijd te verliezen.

Als de boot het spookschip ziet,
gebeurt er een ramp!
Jim zwaait met de lamp.
'Keer om,' roept hij.
'Kijk uit voor het spookschip!'
Jim zwaait als een woeste met de lamp.
Maar dan gaat de lamp uit.
Te laat, denkt Jim.
Nu zal de boot vergaan.
De Vliegende Hollander neemt de boot mee.
De golven in.
Maar dan keert de boot om.
Ze hebben de lamp toch gezien!
'Hoera,' juicht Jim.
Dan hoort hij een enorm geraas.
Daar zweeft de Vliegende Hollander
boven de zee.
Hij hoort de kapitein gillen.
'Wie heeft ons verraden?'
Jim krijgt een idee.
Nu kan hij Melle helpen.
'Dat was ik,' roept hij hard.
'Kom me maar halen.'

Het spookschip komt dichterbij.

De kapitein hangt over de rand.

Jim holt zo hard als hij kan.

'Verrader,' gilt de kapitein.

'Ik zal je krijgen.'

Jim is buiten adem.

Nog even en hij is de pineut.

Daar is een hoge bergwand met een spleet.

Misschien kan hij daardoor.

Hij sprint er naartoe.

Dan is hij veilig.

De spleet is te smal voor het schip.

Dat kan er niet door.

Snel kijkt Jim om.

Aan boord staat Melle.

Jim ziet dat hij een duim opsteekt.

Dan ziet hij een lichtflits.
Er klinkt een harde dreun.
Alles wordt donker.

Jim wrijft in zijn ogen.
Hij kijkt om zich heen.
Waar is hij nu?
Dan ziet hij dat hij in zijn bed ligt.
Buiten dondert en bliksemt het.
Was het toch een droom?
Jim doet een lamp aan.
Op de grond ligt het boek open.
Hé, dat is gek.
Op dat plaatje staat een jongen.
Hij lijkt op Melle.
Het is net of hij Jim een knipoog geeft.